Autrefois les cochons chantaient.
Les singes chiquaient.
Les poulets prisaient.
Mais les canards faisaient toujours « coin-coin-coin ».

LES TROIS PETITS COCHONS

raconté par Eriko Kishida, illustré par Eigoro Futamata
et adapté du japonais par Jean-Christian Bouvier

lutin poche de l'école des loisirs
11, rue de Sèvres, Paris 6e

Trois petits cochons vivaient au village
avec leur vieille maman.
Mais celle-ci était si pauvre qu'elle n'arrivait plus à les nourrir.
« Allez », leur dit-elle en les accompagnant
sur le pas de la porte, « c'est à vous de vous débrouiller
tout seuls dans la vie maintenant... »

Le premier rencontra un paysan qui portait une botte de paille.
«Pardon, monsieur, pourriez-vous me donner un peu de paille ?
C'est pour me construire une maison.»
Aussitôt dit, aussitôt fait : voilà le petit cochon
installé dans une belle cabane de paille.
Alors, qui arriva ? Le loup...

« Petit cochon mignon, ouvre-moi ! »

« Pfut… pas question ! Va te faire cuire un oignon ! »

« Si tu ne m'ouvres pas, je compte jusqu'à trois, puis je souffle
et tant pis pour toi… À la une, à la deux, à la trois… »

Le loup souffla. La paille s'envola. Et le petit cochon
fut mangé tout cru.

Le deuxième rencontra un bûcheron
qui portait du bois.
« Pardon, monsieur, pourriez-vous me donner
un peu de bois ? C'est pour me construire une maison. »
Aussitôt dit, aussitôt fait :
le voilà installé dans un joli petit cabanon.
Et alors, qui arriva ? Encore le loup…

« Petit cochon mignon, ouvre-moi ! »

« Pfut... pas question ! Va te faire cuire un hérisson ! »

« Si tu ne m'ouvres pas, je compte jusqu'à trois, puis je souffle
et tant pis pour toi... À la une, à la deux, à la trois...
Tiens, cela ne suffit pas ? Quatre... cinq... »

Cette fois-ci, le cabanon s'envola.

Le loup se jeta sur le petit cochon et le dévora tout cru.

Le troisième rencontra un maçon qui transportait
un énorme tas de briques.
« Pardon, monsieur, pourriez-vous me donner quelques briques ?
C'est pour me construire une maison. »
Aussitôt dit, presque aussitôt fait :
rien de tel que de bonnes briques de maçon pour se bâtir
un joli petit pavillon.
Mais alors, qui arriva ? Encore et toujours le loup...

« Petit cochon mignon, ouvre-moi ! »
« Pfut… pas question ! Va te faire cuire un édredon ! »
« Si tu ne m'ouvres pas, je compte jusqu'à trois,
puis je souffle et tant pis pour toi…
À la une, à la deux, à la trois… Rien ?
Allons bon, encore une fois…
Trois, quatre, cinq ! Toujours rien ? Six, sept, huit ! »
Rien à faire, le pavillon tenait bon.

Voyant qu'il n'y arriverait pas, le loup se fit tout gentil.
«Dis donc, petit cochon mignon, sais-tu que je connais
un champ de navets tout à fait excellents ?...»
«Ah bon vraiment ?»
«Oui, le champ d'Arthur. Veux-tu que je vienne
te chercher demain matin pour t'y emmener ?»
«Oh, très volontiers ! À quelle heure ?»
«Euh... disons à six heures !»

Le lendemain matin, le petit cochon se leva à cinq heures
et courut ramasser un plein panier de navets.
À six heures, qui arriva ? Le loup, bien sûr ...
« Eh bien, petit cochon mignon, es-tu prêt ? »
« Je suis tellement prêt que je suis déjà revenu ! Regarde,
ma marmite est remplie de ces excellents navets. »
Le loup était furieux, mais il fit un immense effort pour
ne pas le montrer.
« Petit cochon mignon, sais-tu que je connais un verger
planté des meilleurs pommiers de la région ? »
« Où cela ? »
« Là-bas, dans les jardins de Marie. Si tu me promets de ne plus
me faire d'entourloupettes, je viendrai te chercher demain matin
à cinq heures ... »

Le lendemain, le petit cochon sauta du lit
à quatre heures du matin bien décidé à cueillir
les pommes tout seul. Mais le chemin était
plus long qu'il ne l'avait imaginé et grimper
dans les arbres n'était pas facile...
Il perdit du temps et vit soudain le loup qui
arrivait en courant. Quelle mauvaise surprise !
« Eh bien, petit cochon mignon, tu es encore
venu avant moi à ce que je vois...
Les pommes sont-elles bonnes au moins ? »
« Ex... excellentes ! » répondit le petit cochon
perché dans l'arbre et tremblant de peur.
« Tiens, attrape celle-là ! »

Il en saisit une qu'il lança de toutes ses forces
le plus loin possible et tandis que le loup se précipitait
pour l'attraper, il descendit de l'arbre
et rentra à toute vitesse se réfugier dans son pavillon.
Mais qui se présenta à nouveau le matin suivant ?
Le loup, naturellement …
« Petit cochon mignon, il y a la fête au bourg
cet après-midi, tu n'y vas pas ? »
« Mais si, bien sûr. À quelle heure pars-tu ? »
« À trois heures. »

Le petit cochon, une fois de plus, partit le premier
sans attendre l'heure du rendez-vous. Après s'être
bien amusé, il se décida à rentrer en portant sur son dos
une baratte à beurre qu'il avait achetée au marché.
Et qui aperçut-il qui marchait sur le chemin
juste en face de lui ? De nouveau, encore et toujours,
le loup…

Affolé, le petit cochon se glissa à l'intérieur
de la baratte et la fit rouler le long de la pente.
Quand le loup vit cet objet mystérieux se précipiter
sur lui, il fit un bond en arrière et s'enfuit
sans même se rendre à la fête.
Un peu plus tard, qui vint encore frapper à la porte
du petit cochon ? Mais oui, le loup…
« Quelle peur j'ai eue ! » dit-il. « J'ai failli
me faire écraser par une chose énorme et ronde
qui dévalait la pente. »
« Pardi, c'est moi qui me suis amusé à te faire peur ;
j'ai tout simplement acheté une baratte à beurre
et quand je t'ai vu qui arrivais, hi hi hi, je me suis
caché dedans et l'ai fait rouler vers toi ! »

Cette fois-ci le loup se mit dans une colère terrible.
«J'en ai assez!» hurla-t-il. «Je vais passer
par la cheminée et venir te manger!»
Le petit cochon se contenta de remplir à ras bord
sa marmite d'eau et d'allumer le feu.

Quand le loup passa par la cheminée,
le petit cochon ôta le couvercle, et plouf,
l'animal tomba dans la marmite.
Le petit cochon le laissa cuire à gros bouillons
jusqu'à l'heure du dîner, puis il le mangea.

Le petit cochon vécut ensuite heureux et tranquille sans le loup et sans ses frères...